Petite histoire des transports

Brilliant French Information Books
Level 3

Danièle Bourdais and Sue Finnie

Dans le monde moderne, il y a beaucoup de transports différents : des avions, des bateaux, des trains, des vélos, des voitures, etc.

Mais le premier moyen de transport, c'était ... les animaux ! Les chevaux, les ânes, les éléphants et les chameaux, par exemple.

Les vélos

Les premiers vélos n'ont pas de pédales.
En 1861, en France, Ernest Michaux et son père Pierre inventent la première bicyclette à pédales.

Les voitures

En 1769, un ingénieur français, Joseph Cugnot, invente la première « voiture ».
C'est une machine à vapeur. Elle a trois roues.

Les avions

La première personne à traverser la Manche (la mer entre la France et l'Angleterre) en avion, c'est un pilote français, en 1909.
Il s'appelle Louis Blériot. Le vol dure 36 minutes.

Les trains

Aujourd'hui, pour aller de France en Angleterre, il y a un tunnel. Ce tunnel (sous la Manche) mesure 50 450 mètres.

Le plus long tunnel du monde, c'est le tunnel de Seikan, au Japon. Il mesure 53 850 mètres.

Les vaisseaux spatiaux

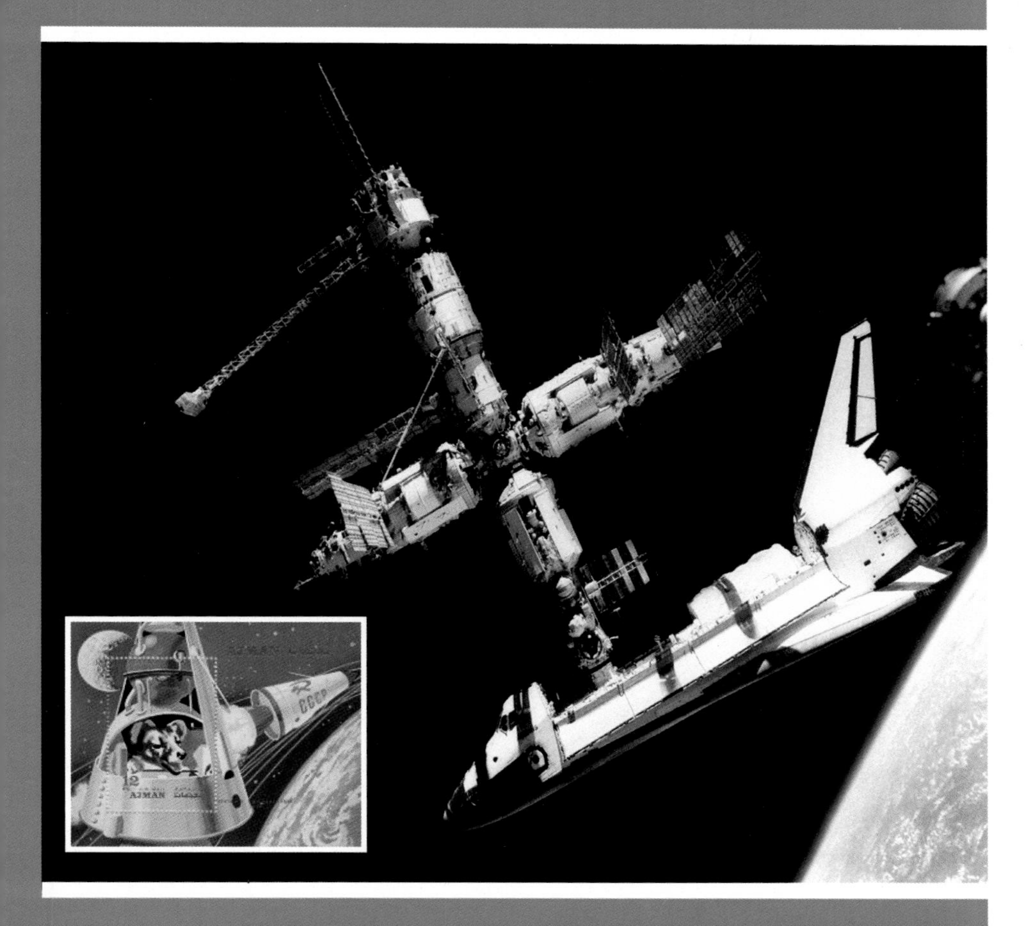

Il y a maintenant des fusées pour faire des voyages dans l'espace. Qui est parti pour la première fois dans l'espace en 1957, à bord de Spoutnik 2 ? Un homme ? Une femme ?
Eh non ! C'est Laïka, une chienne russe.
On lance les fusées françaises à Kourou, en Guyane. C'est un territoire français en Amérique du Sud.

Les avions, les bateaux, les trains, les vélos, les voitures …

Quel est le plus rapide ?
Le plus confortable ?
Le plus intéressant ?
Le moins cher ?
Le moins polluant ?